Markings. raonis). $^{4}/_{1}$ nalis). $^{3}/_{1}$ natural size.

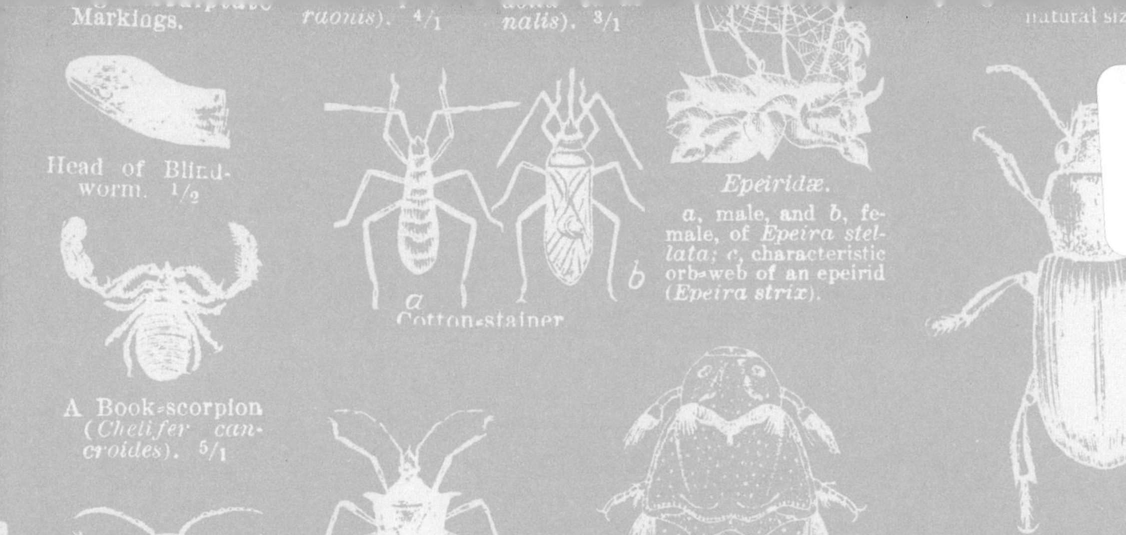

Head of Blind-worm. $^{1}/_{2}$

a Cotton-stainer *b*

Epeiridæ.

a, male, and *b*, female, of *Epeira stellata*; *c*, characteristic orb-web of an epeirid (*Epeira strix*).

The Drac Dragon- (*Draco* *eatus*).

A Book-scorpion (*Chelifer cancroides*). $^{5}/_{1}$

Proxys punctulatus.

Agonoderus dorsalis (Le Conte). Vertical line shows natural size.

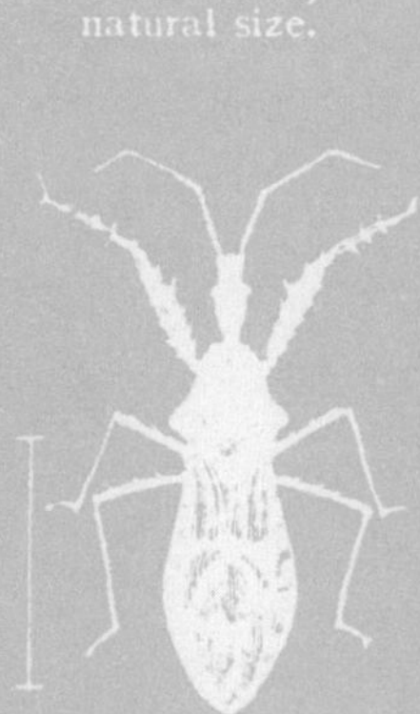

Click-beetle, natural size.

Hellgrammite (*a*) and Hellgrammite-fly.

Parasite of the Beaver (*Platypsyllus castoris*). (Line shows natural size.)

Hawthorn-tingis (*C* *arcuata*), one of the *T* enlarged about ten times

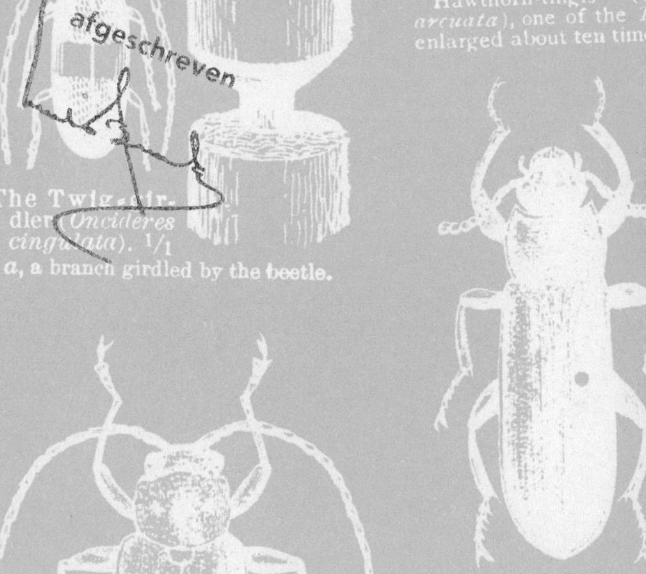

The Twig-girdler (*Oncideres cingulata*). $^{1}/_{1}$

a, a branch girdled by the beetle.

Sinea diadema, one of the *Reduviidæ*. (Line shows natural size.)

The Bait-bug.

Rose-beetle (*Cetonia aurata*). Vertical line shows natural size.

Flour-beetle (*Teneb* *litor*). (Line shows size.)

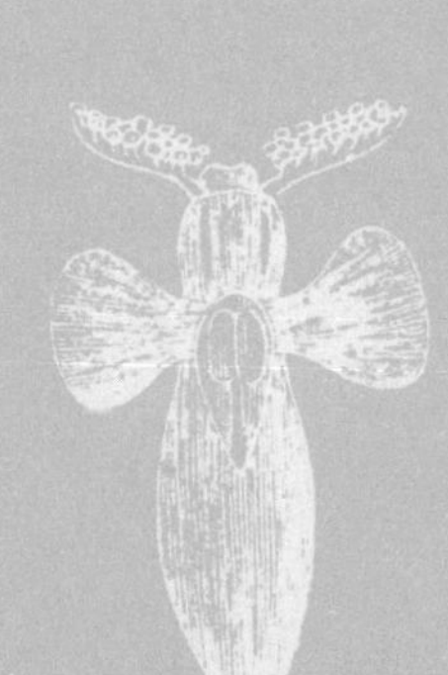

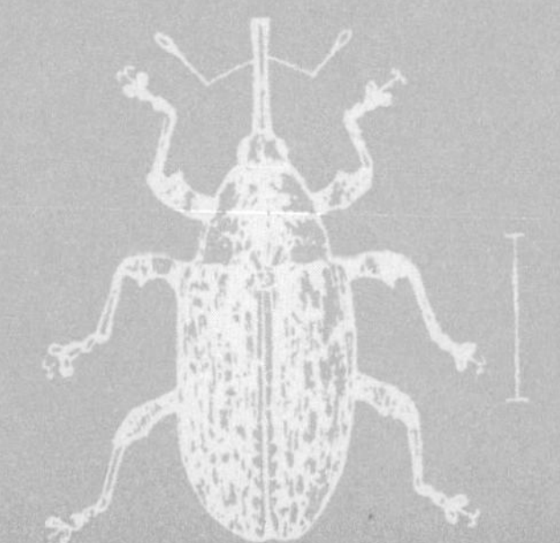

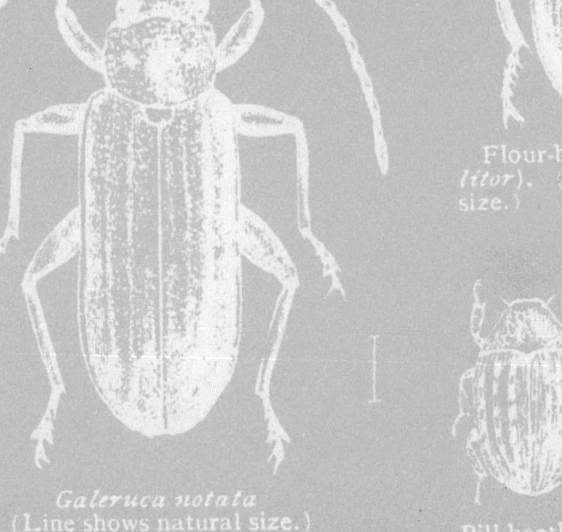

Galeruca notata (Line shows natural size.)

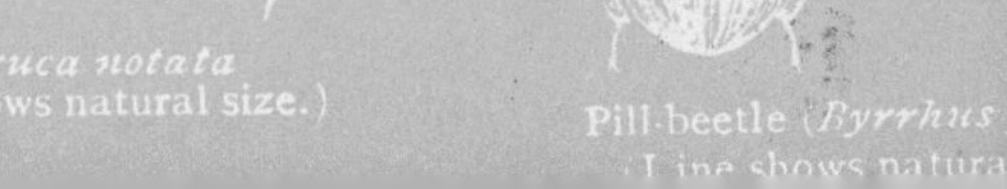

Pill-beetle (*Byrrhus p* Line shows natural

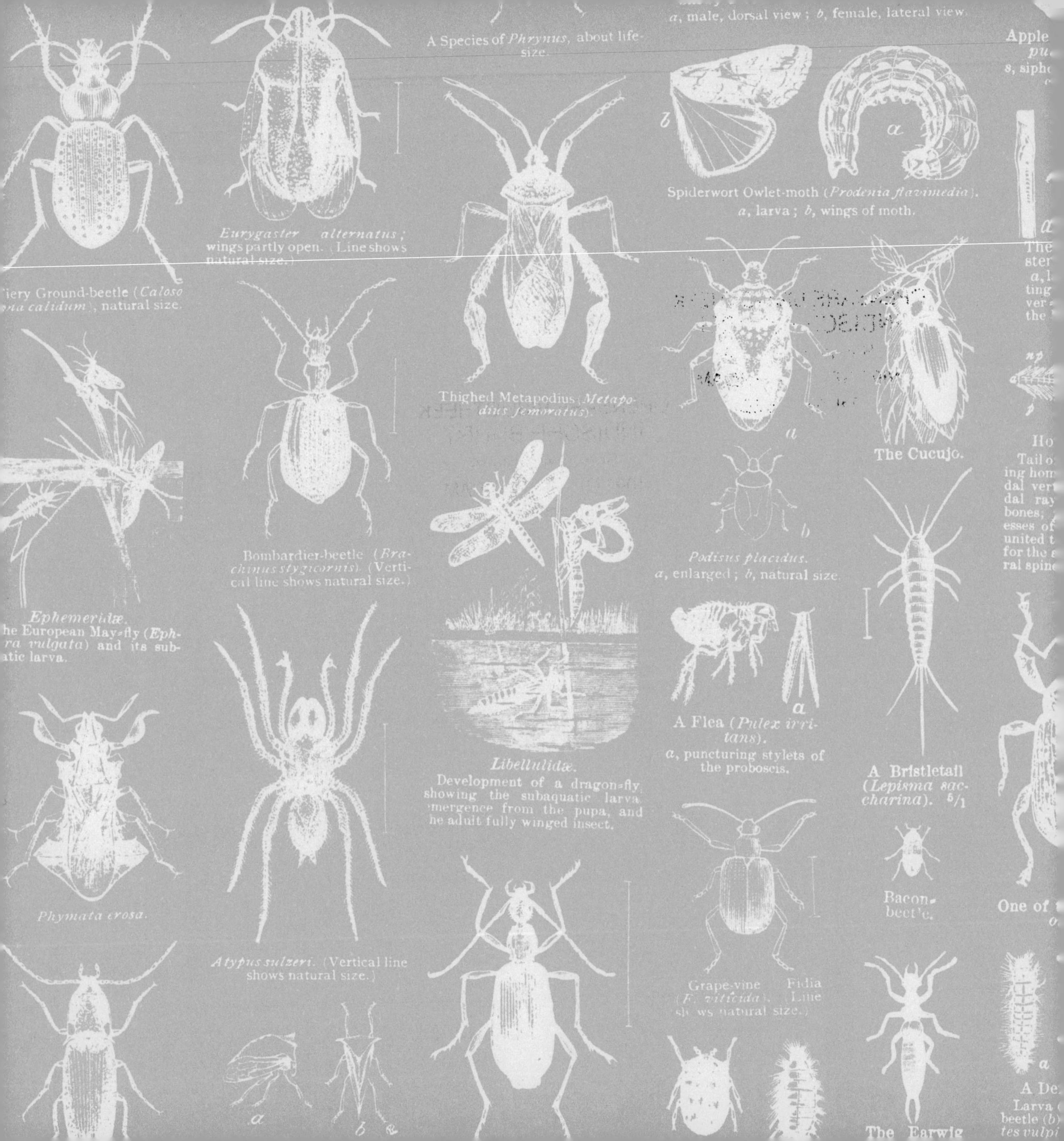

a, male, dorsal view ; b, female, lateral view.
A Species of Phrynus, about life-size.
Spiderwort Owlet-moth (Prodenia flavimedia).
a, larva ; b, wings of moth.
Eurygaster alternatus ; wings partly open. (Line shows natural size.)
Thighed Metapodius (Metapodius femoratus).
natural size.
The Cucujo.
Bombardier-beetle (Brachinus stygicornis). (Vertical line shows natural size.)
Podisus placidus.
a, enlarged ; b, natural size.
Ephemeridæ.
European May-fly (Eph-
ra vulgata) and its sub-
atic larva.
A Flea (Pulex irritans).
a, puncturing stylets of the proboscis.
Libellulidæ.
Development of a dragon-fly
showing the subaquatic larva
the adult fully winged insect.
A Bristletail (Lepisma saccharina). 5/1
Phymata erosa.
Bacon-beetle.
Atypus sulzeri. (Vertical line shows natural size.)
Grape-vine Fidia (F. viticida). (Line shows natural size.)
The Earwig

sprinkhaan

sprinkha

an

Ting Morris

Illustraties
Desiderio Sanzi

Ontwerp
Deb Miner

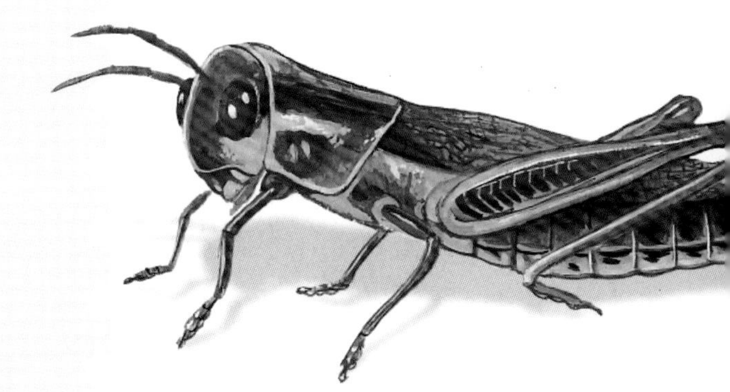

Corona
Ars Scribendi Uitgeverij

Als je op een zonnige, zomerse dag buiten in een weiland of op een veld bent, kun je vaak een luid, snerpend geluid horen. Het is net alsof je omringd bent door onzichtbare muzikanten. Maar als je in de richting van het geluid loopt, stopt het geluid meestal. Wie zijn deze vreemde muzikanten? En hoe maken ze hun muziek? **Sla de bladzijde om en bekijk de muzikant maar eens van dichtbij.**

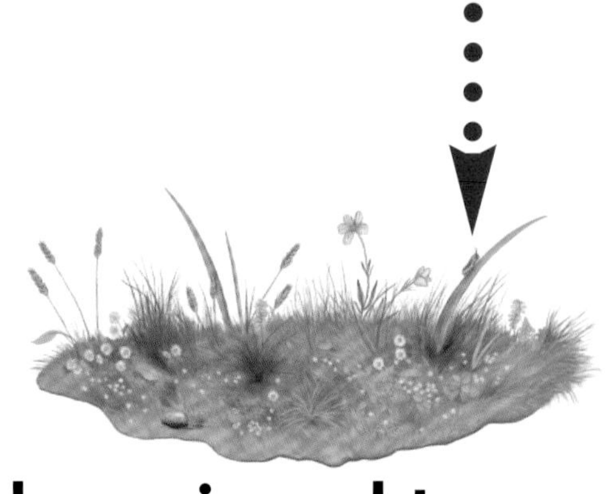

Daar is hij: het is een kleine, groene sprinkhaan die al dat lawaai maakte.

Hij is moeilijk te zien in het lange gras, en nu houdt hij zich heel stil omdat hij, al toen je nog een eind weg was, je voetstappen aan voelde komen. Als hij je ziet zal hij opspringen en een paar meter verder weer terecht komen. Dat is een verbazingwekkend grote sprong voor zo'n klein dier. Als je net zo kon springen als een sprinkhaan, zou je met één sprong bijna 30 meter kunnen overbruggen!

EEN SKELET AAN DE BUITENKANT

Sprinkhanen hebben net als andere insecten geen ruggengraat. Hun skelet (dat huidskelet of huidpantser wordt genoemd) zit aan de buitenkant van hun lichaam.

WAT ZIJN SPRINKHANEN?

Sprinkhanen en hun verwanten – cicaden, sabelsprinkhanen en krekels – zijn insecten. Ze leven op grazige gebieden overal in de wereld, maar ze voelen zich het beste thuis in een warm klimaat. Het verschil tussen een krekel en een sprinkhaan is de afmeting van de antennen of voelsprieten. De antennen van een sprinkhaan zijn kort, die van een krekel zijn langer.

HET LICHAAM VAN EEN SPRINKHAAN

Het lichaam van een sprinkhaan bestaat uit drie delen: de KOP, het BORSTSTUK en het ACHTERLIJF.

Sprinkhanen hebben vijf OGEN: twee grote samengestelde ogen en drie kleine ogen, één onder elke antenne en één daartussen. Elk samengesteld oog bestaat uit duizenden kleine lenzen, zodat sprinkhanen helemaal rondom kunnen zien.

De twee voelsprieten (ANTENNEN genaamd) zijn de neus van de sprinkhaan. De MOND heeft twee sterke kaken.

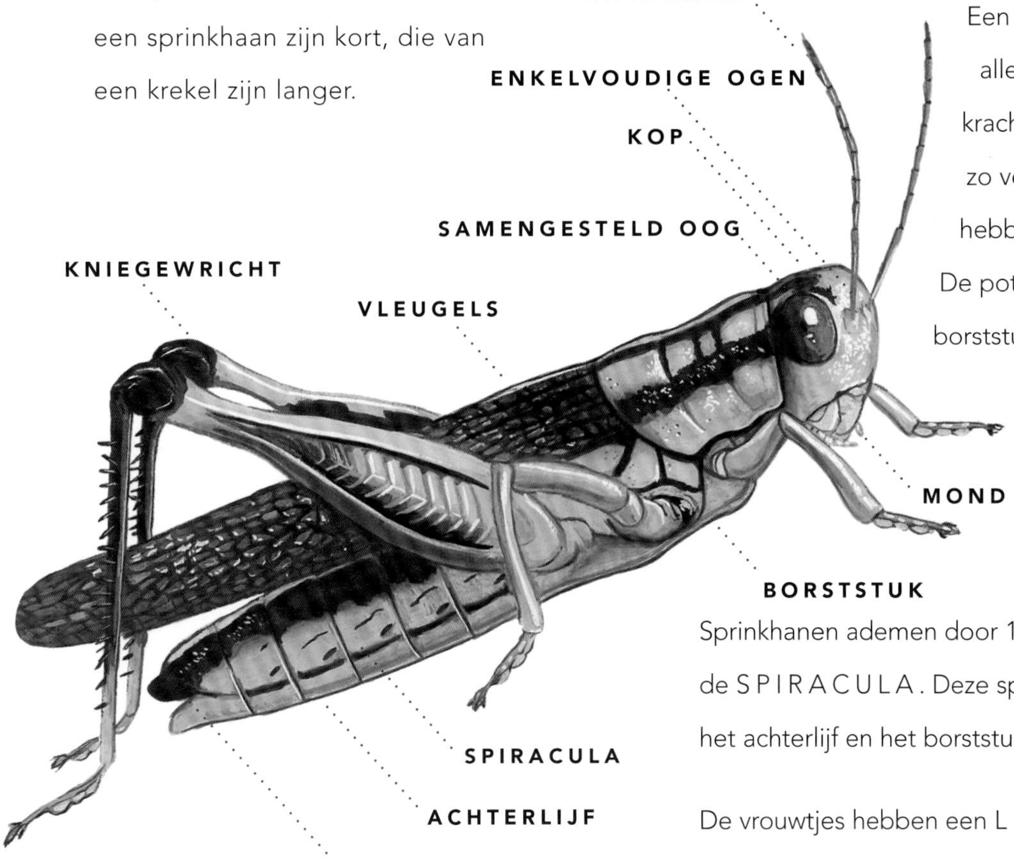

Een sprinkhaan heeft zes POTEN die hij alle zes gebruikt bij het lopen. Dankzij de krachtige spieren in de achterpoten kan hij zo ver springen. De meeste sprinkhanen hebben twee paar VLEUGELS. De poten en de vleugels zitten vast aan het borststuk.

Het achterlijf is opgebouwd uit segmenten, waardoor het makkelijk kan buigen en draaien.

Sprinkhanen ademen door 10 paar ademspleetjes, de SPIRACULA. Deze spleetjes zitten aan de zijkant van het achterlijf en het borststuk.

De vrouwtjes hebben een LEGBUIS aan het eind van hun achterlijf.

Deze sprinkhaan smult van het frisse gras. Hij kauwt een grasspriet stuk en klimt dan in de volgende stengel, en zo steeds maar verder. Met hun sterke kaken eten sprinkhanen zich razendsnel door bladeren en bloemen, en ze kunnen dan ook heel wat schade aanrichten. Maar deze groene sprinkhaan is onschadelijk. Hij eet vooral grassen die langs paden en wegen groeien. Probeer niet de sprinkhaan op te pakken. Als hij zich bedreigt voelt zou hij wel eens kunnen bijten.

WAT ZULLEN WE EENS ETEN?

Er zijn in de weiden en velden heel veel blaadjes te eten. Sommige sprinkhanen eten alleen bepaalde soorten planten, maar de meeste zijn niet zo kieskeurig. Op een zonnige dag kan een sprinkhaan heel wat gras aan, en 50 sprinkhanen eten net zoveel als een koe! Vandaar dat ze een plaag kunnen vormen voor boeren en tuinders.

ONOPVALLEND

Sprinkhanen hebben dezelfde kleur als hun leefomgeving. Sprinkhanen die tussen groene bladeren en gras leven zijn groen, en degene die dicht bij de grond leven zijn meestal bruinachtig.

ZIJWAARTS KAUWEN

De sprinkhaan houdt de plant vast met zijn voorpoten en kauwt met zijn sterke kaken die op een zaag lijken. De kaken liggen aan de buitenkant van de mond en bewegen heen en weer. De bovenlip ligt voor de kaken, en de onderlip – met daarop de smaakpapillen – ligt achter de kaken.

De sprinkhaan is befaamd vanwege zijn muzikale geluid, maar ze vormen geen groep. Ze leven alleen, en zingen om een vrouwtje te lokken. Sommige sprinkhanen tsjirpen tegelijk met andere sprinkhanen, zo maar voor de lol. **Deze sprinkhaan begint net aan zijn zang.** Het lijkt een beetje op een wekker die afloopt, maar hij heeft niemand gewekt en hij krijgt geen antwoord op zijn roep.

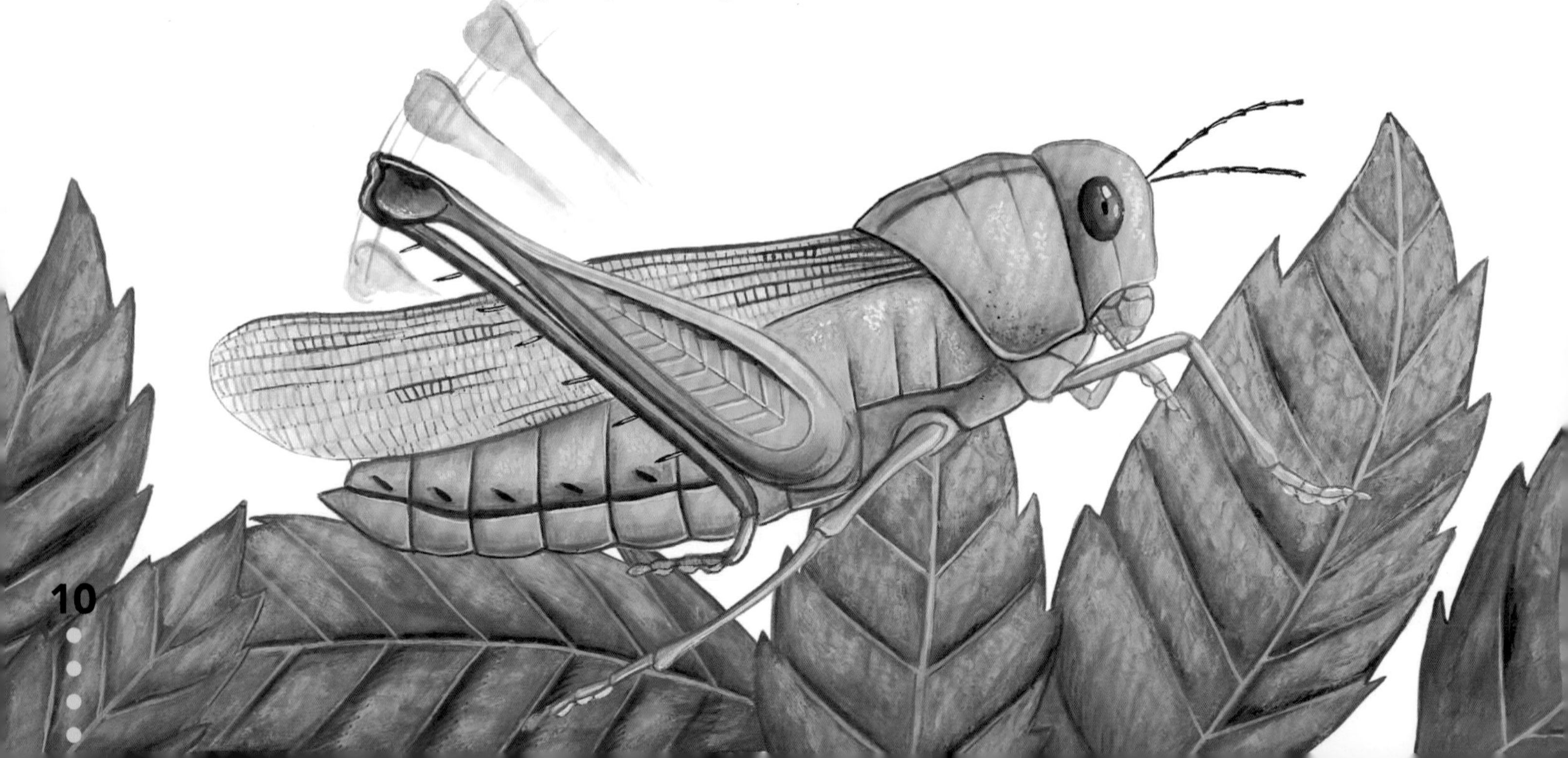

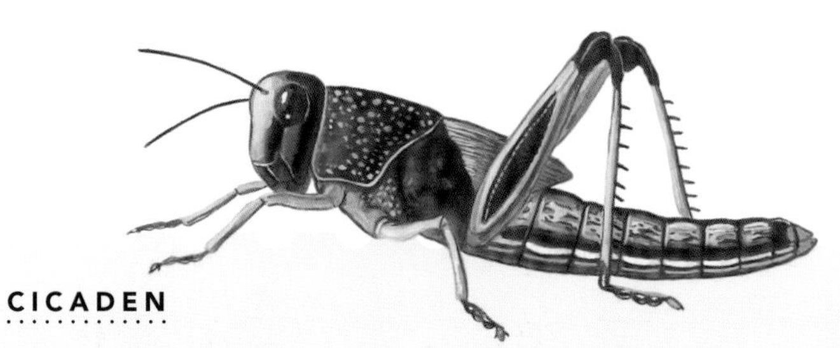

CICADEN

De Zuid-Europese cicaden kunnen ongeveer 5 cm groot worden. Ze leven in een warm klimaat. Cicaden die in de tropen leven worden nog groter. Cicaden hebben een slechte naam, omdat zwermen met miljoenen cicaden een heel veld kunnen kaalvreten. Maar als ze maar met weinig zijn, zijn ze onschadelijk.

GROEPEN JONGEREN

Jonge cicaden groepen samen en leven ook als groep. Als ze andere groepen tegenkomen marcheren ze in grote aantallen over het land, en eten onderweg alles kaal. Hun kleur verandert van bruin in zwart en geel, en hun vleugels worden sterker. Als ze helemaal volgroeid zijn vormen ze enorme zwermen, en vliegen daar naartoe waar voldoende te eten is voor zo'n grote groep.

VANUIT DE WOESTIJN

In Afrika vormen zich grote zwermen woestijn-cicaden. De jongen hebben langere vleugels en helderder kleuren dan cicaden die geen zwermen vormen. Ze vliegen honderden kilometers ver met de wind mee. Als een zwerm ergens neerstrijkt, kunnen ze op een dag wel 100.000 ton aan voedsel eten.

MUZIKALE POTEN

Sprinkhanen hebben geen stem, zoals wij. Ze maken geluid door met hun voorvleugels tegen hun achterpoten te wrijven. Aan de binnenkant van elke achterpoot ligt een rij kleine pinnetjes. De sprinkhaan wrijft de harde rand van zijn voorvleugel over de pinnetjes. Als je met de rand van een stukje karton over de tanden van een kam wrijft, kun je zien en horen hoe het werkt!

De sprinkhaan is naar een andere plek gegaan, en hoopt dat hij daar een betere ontvangst zal krijgen.

Hij barst opnieuw uit in gezang, en tsjirpt en ratelt voluit. Het geluid wordt steeds luider, tot het plotseling stopt. Eerst is het even stil, dan volgt wat zacht getsjirp. De sprinkhaan hoort het en antwoordt met nieuw gezang. Kun je zien dat hij muziek maakt?

Een mannetje heeft ongeveer 150 pinnetjes op elke achterpoot.

MUZIKALE KREKELS

Krekels zijn een beetje anders dan sprinkhanen. De mannetjes zingen door de getande randen van hun voorvleugels tegen elkaar te wrijven. De vrouwtjes horen de roep van de mannetjes met oren in hun voorpoten. Een kleine zwelling net onder de knie is het oor van de krekel.

HOE HOREN SPRINKHANEN?

De oren van een sprinkhaan zitten aan de zijkant van het achterlijf, onder de vleugels. Het zijn kleine kussentjes die heel zachte geluiden kunnen opvangen.

SABELSPRINKHAAN

De sabelsprinkhaan is een Noord-Amerikaanse woud-sprinkhaan. De grote groene sabelsprinkhaan kan wel 10 cm lang worden. Het vrouwtje heeft een sabelvormige legbuis waarmee ze de eitjes legt. De sabelsprinkhaan zingt op warme avonden en gaat soms de hele nacht door.

Toen het vrouwtje naar de roep van het mannetje luisterde, dook er een wesp naar beneden die haar stak. Nu kan ze haar poten niet meer bewegen en haar vleugels niet meer gebruiken. Dit is het effect van het gif van de wesp. **Het mannetje kan hier niets aan doen, en hij springt zo hoog hij kan om te ontsnappen aan een eventuele aanval van een wesp.** Kijk eens hoe hij door de lucht vliegt!

VIJANDEN

Vogels, spinnen, kevers, hagedissen, muizen en slangen maken allemaal jacht op sprinkhanen om ze op te eten. Sommige soorten vliegen leggen hun eitjes op sprinkhanen. De pasgeboren vliegen eten dan de sprinkhaan op.

TERUGVECHTEN

Sprinkhanen ontsnappen aan hun vijanden door weg te springen of te vliegen. Ze kunnen ook bijten, en sommige soorten spugen een vieze bruine vloeistof, die wel tabakssap wordt genoemd, naar hun aanvallers.

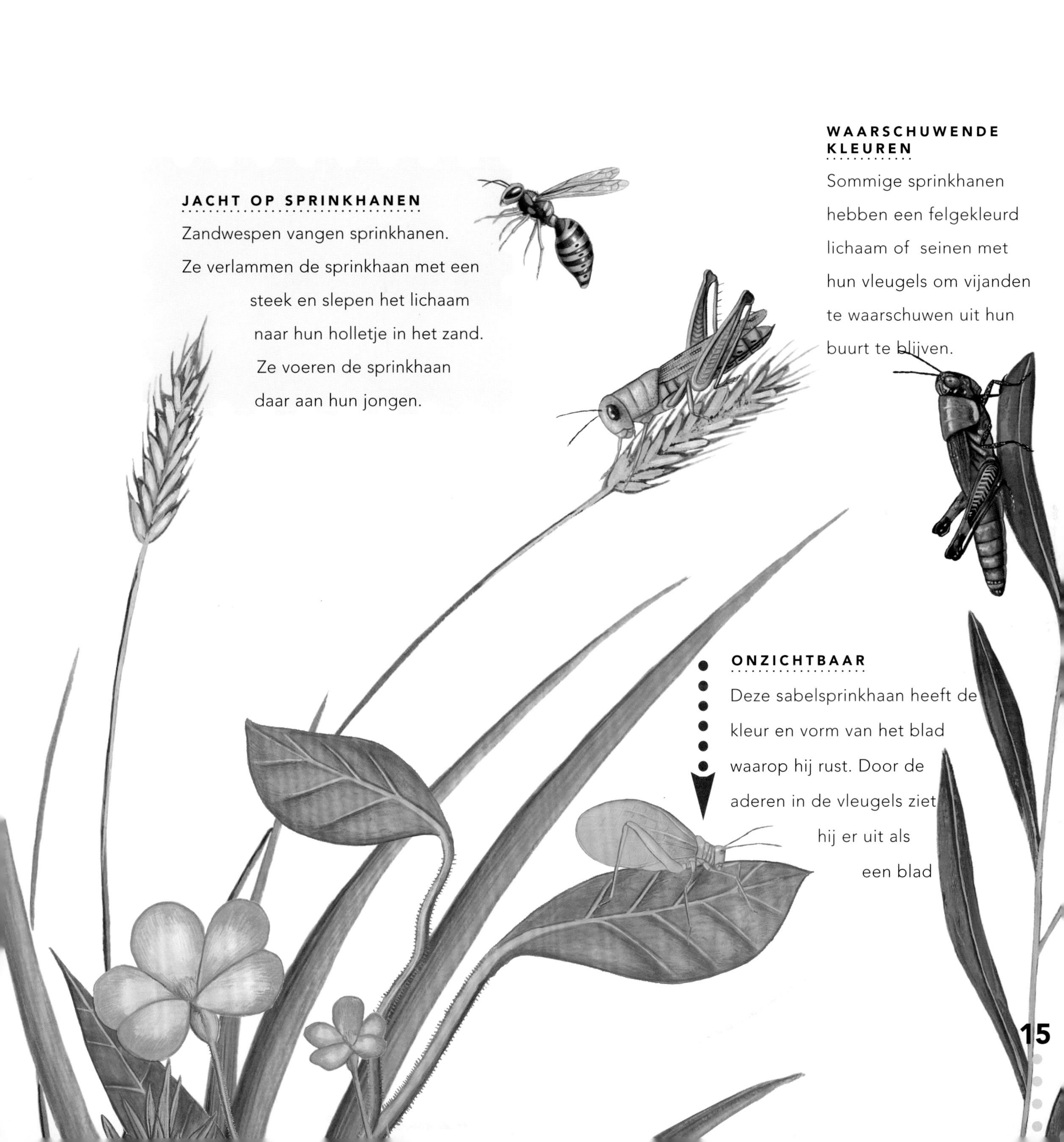

JACHT OP SPRINKHANEN

Zandwespen vangen sprinkhanen.
Ze verlammen de sprinkhaan met een steek en slepen het lichaam naar hun holletje in het zand.
Ze voeren de sprinkhaan daar aan hun jongen.

WAARSCHUWENDE KLEUREN

Sommige sprinkhanen hebben een felgekleurd lichaam of seinen met hun vleugels om vijanden te waarschuwen uit hun buurt te blijven.

ONZICHTBAAR

Deze sabelsprinkhaan heeft de kleur en vorm van het blad waarop hij rust. Door de aderen in de vleugels ziet hij er uit als een blad

Het mannetje is veilig. Hij is geland op een zonnig pad met lang gras, en het duurt niet lang of hij zingt alweer. **Het belangrijkste is nu voor hem om een nieuwe partner te zoeken.** Als zijn roep wordt beantwoord, gaat hij dichter naar het vrouwtje toe en stelt zijn muzikale kwaliteiten ten toon. Elk lied duurt een minuut of zelfs langer, en hij verandert steeds van toon. Na een poosje tsjirpt het vrouwtje zachtjes om hem te laten weten dat ze wel zijn partner wil zijn.

AANGEPAST

De zang van de mannetjes verandert als het weer verandert. Als het warmer wordt, wordt de zang sneller. Een veldkrekel tsjirpt 40 keer per minuut als de temperatuur 10° C is, en dat gaat met vier tsjirpen omhoog met elke graad temperatuurstijging. De meeste vrouwtjes tsjirpen niet.

MUZIKALE MAATJES

De vrouwtjes kunnen ook geluiden maken met hun vleugels en poten, maar hun zang is veel zachter dan die van de mannetjes. Mensen horen hen nauwelijks. De zachte antwoorden en bewegingen van de vrouwtjes geven aan dat ze wel willen paren. Ze hebben sperma van een mannetje nodig om hun eitjes te bevruchten.

TANDENKNARSEN

Er zijn ook sprinkhanen die zingen door hun kaken tegen elkaar te wrijven. Het ritselende geluid dat dit geeft is maar over een korte afstand te horen.

DAPPERE STRIJD

De veldkrekel is niet zo vredelievend als de sprinkhaan. Het mannetje leeft alleen in een holletje en bewaakt zijn territorium op dappere wijze tegen elke rivaal die het waagt dichtbij te komen. Als dat gebeurt, proberen ze elkaar te bijten, en de strijd eindigt meestal met de dood van één van de vechtersbazen of van beide. De strijdlustige zang van het mannetje klinkt heel anders dan zijn paarzang.

De groene sprinkhaan is niet de enige in dit veld die tsjirpt. **Er zijn nog een heleboel andere zangers.** Maar de vrouwtjes raken hier niet van in de war, omdat elke soort sprinkhaan een iets andere zang heeft. Dit vrouwtje kent de zang van haar soortgenoten, en kiest degene die het mooist, en het luidst, kan zingen.

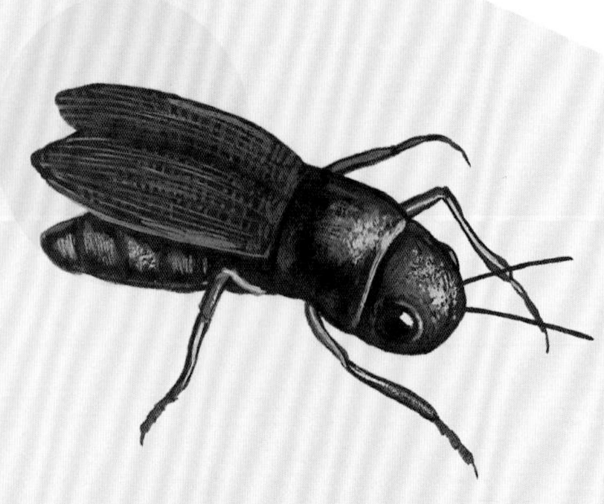

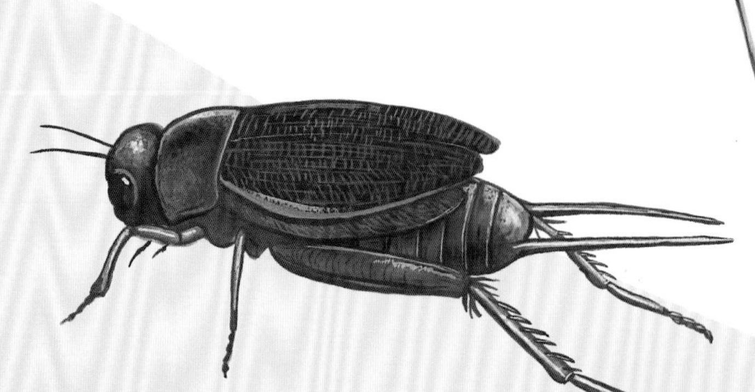

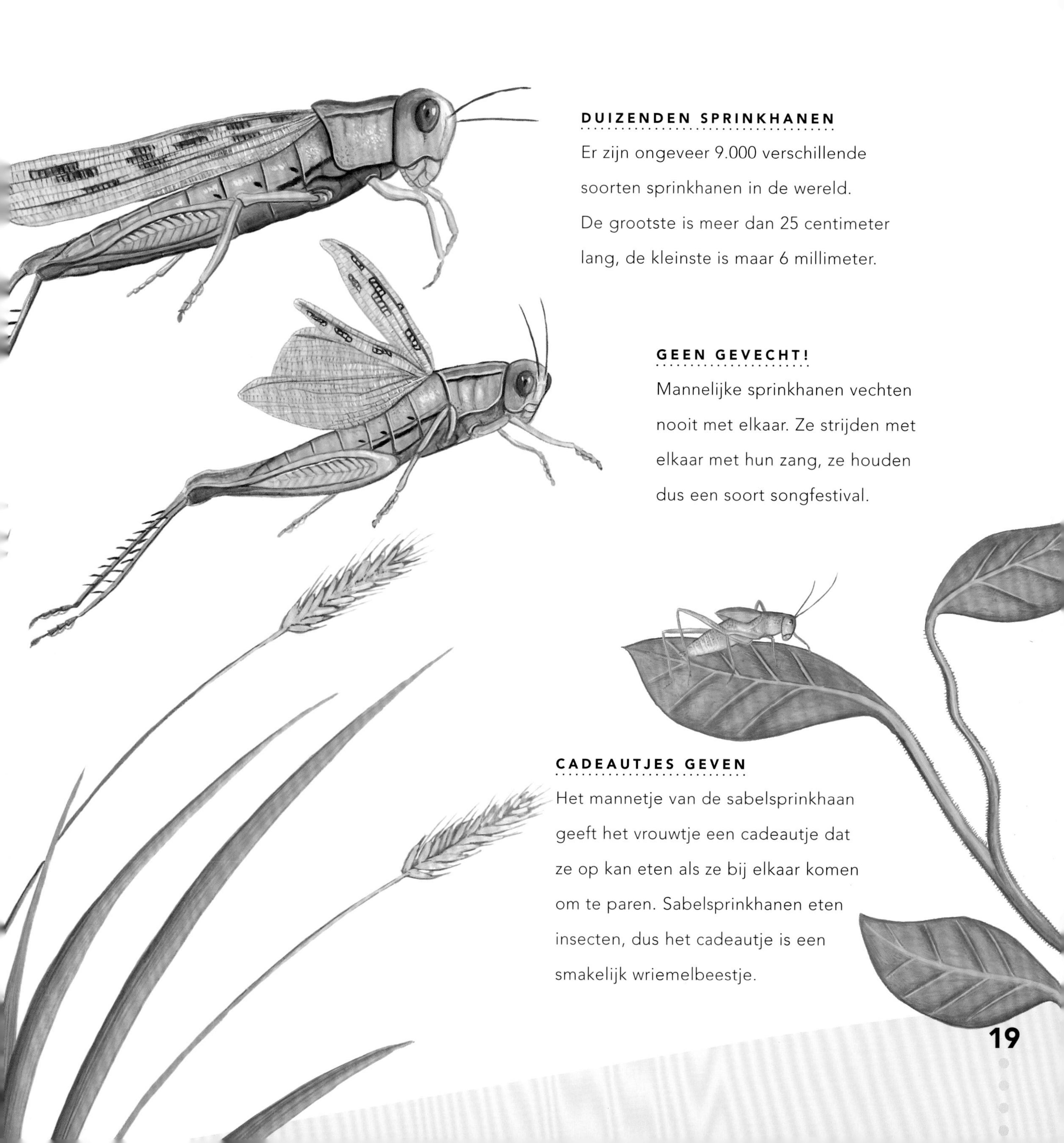

DUIZENDEN SPRINKHANEN

Er zijn ongeveer 9.000 verschillende soorten sprinkhanen in de wereld. De grootste is meer dan 25 centimeter lang, de kleinste is maar 6 millimeter.

GEEN GEVECHT!

Mannelijke sprinkhanen vechten nooit met elkaar. Ze strijden met elkaar met hun zang, ze houden dus een soort songfestival.

CADEAUTJES GEVEN

Het mannetje van de sabelsprinkhaan geeft het vrouwtje een cadeautje dat ze op kan eten als ze bij elkaar komen om te paren. Sabelsprinkhanen eten insecten, dus het cadeautje is een smakelijk wriemelbeestje.

KEURIG NETJES

Vrouwelijke krekels en sabelsprinkhanen hebben een lange, gebogen eibuis die eruitziet als een angel. De legbuis is echter niet gevaarlijk, maar juist een nuttig instrument voor keurig nette moeders. Sommige sabelsprinkhanen leggen dubbele rijen platte, grijze eitjes tussen de bladeren.

Na de paring zoekt het vrouwtje een goede plek om haar eitjes te leggen. Van het eind van de zomer tot de herfst is ze druk bezig met het graven van holletjes, die te vullen en weer toe te dekken. Een speciale, puntige buis aan het uiteinde van haar achterlijf doet al het werk.

Ze gebruikt de buis om diepe holletjes onder het gras te graven, en legt dan in elk holletje 10 eitjes die ze bedekt met kleverig schuim. Als het schuim hard is geworden is het waterafstotend en zijn de eitjes de hele winter veilig. In de volgende zomer zullen de jonge sprinkhanen uit deze holletjes kruipen, maar de ouders overleven de winter niet en zullen hun jongen nooit zien.

EIERKAPSEL

Krekels leggen hun eitjes in een lang, dun kapsel van meer dan 100 eieren.

DUBBELGANGERS

De eitjes van de sprinkhaan komen, afhankelijk van het weer, uit in mei of juni. Hoe warmer het is, hoe eerder de eitjes uitkomen. Pasgeboren sprinkhanen, die nimfen worden genoemd, zijn miniaturen van hun ouders, maar nog zonder vleugels. Ze beginnen direct na het uitkomen van het gras te eten.

In de lentezon zijn de eitjes uitgekomen, en nu groeien overal kleine sprinkhanen. Sommige jonkies zijn niet groter dan een rijstkorrel, maar ze zien er net zo uit als hun ouders. Als ze groeien krijgen ze een nieuwe huid. Onder de oude huid groeit een nieuwe, ruimere huid. Ze hebben nog steeds geen vleugels, maar die komen als ze voor het laatst vervellen.

Kijk eens naar dit jonkie. Hij is voor de vijfde keer uit zijn huid gegroeid en is nu volwassen. Hij pompt zijn nieuwe vleugels op. **Nog een paar minuten, en dan is hij klaar om te vertrekken**

BLEEKNEUSJES

Sprinkhanen die vervellen zijn wit of gelig van kleur als ze uit hun oude huid kruipen. Het duurt even voor ze meer kleur krijgen. Groene boskrekels en sabelsprinkhanen komen elke keer groen uit hun vervelde huid. Zij eten de oude huid op als deze openbarst.

GROEI EN VERANDERING

Een jonge sprinkhaan doet er ongeveer tussen de een en twee maanden over om zijn volwassen afmeting te krijgen. In deze tijd krijgt hij vijf of zes keer een nieuwe huid. Dit wordt vervellen genoemd. Er groeit eerst een nieuwe huid onder de oude voordat de oude huid openbarst. Krekels vervellen soms meer dan 10 keer.

EINDELIJK VOLWASSEN

De laatste keer vervellen duurt ongeveer een uur:

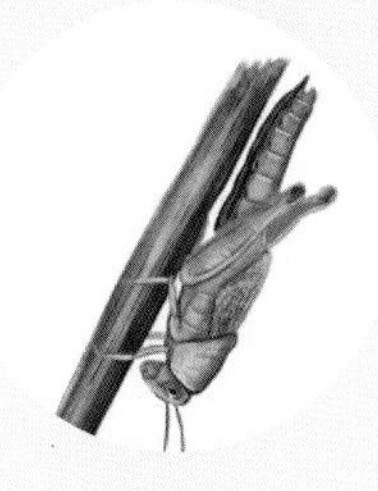

De sprinkhaan zoekt een sterke plant en klemt zich stevig, ondersteboven vast aan de stengel.

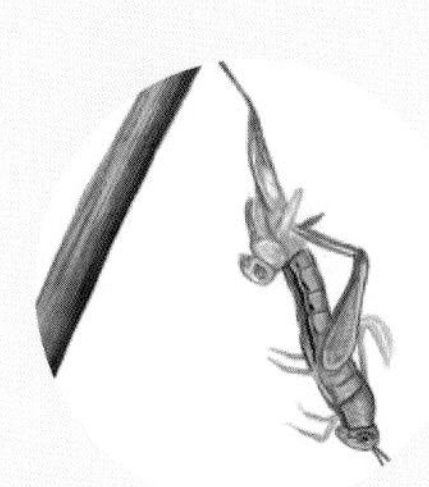

De huid achter zijn kop begint te splijten, en de sprinkhaan glipt uit zijn oude, doorzichtige huid. Eerst duwt hij zijn kop eruit, dan zijn voorpoten.
Het is zwaar werk!

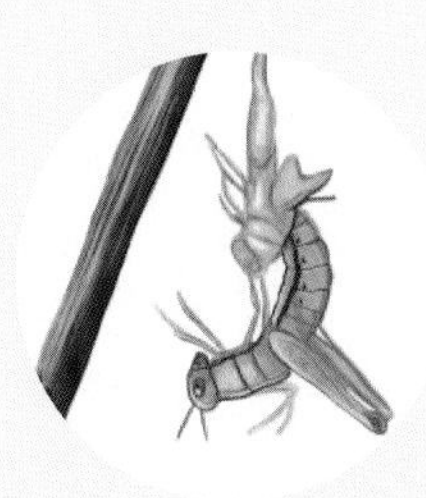

De lange achterpoten uit de oude huid trekken is niet gemakkelijk! Als die er eenmaal uit zijn rust de sprinkhaan even uit.
Hij houdt zich overeind met zijn achterlijf, dat nog in de oude huid zit.

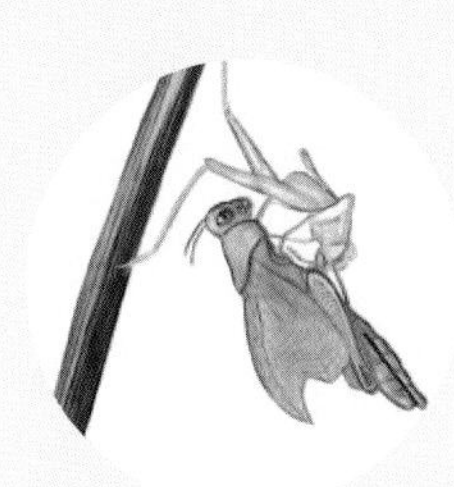

Dan richt de sprinkhaan zich op en trekt het uiteinde van zijn lichaam eruit. Eindelijk vrij!

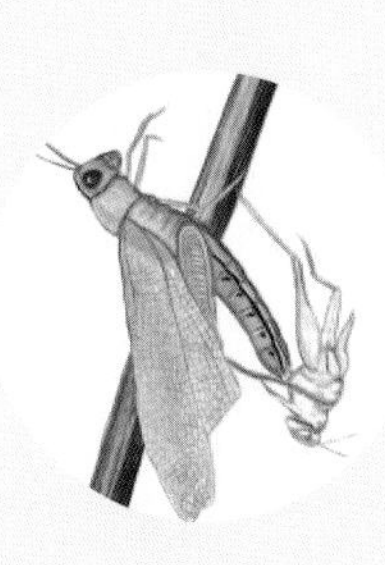

De sprinkhaan staat nu weer rechtop. Hij houdt zich vast aan zijn oude huid. Hij kan nog niet wegspringen, omdat de nieuwe huid nog nat is en zijn vleugels nog zacht en verkreukeld zijn. Hij pompt bloed in zijn vleugels, en na een paar minuten zijn ze veel groter.
Als het lichaam droog is en de vleugels hard en sterk, zal de sprinkhaan in de lucht springen en op zoek gaan naar lekker vers gras.

Het is voor deze sprinkhaan afgelopen met de babyhupjes. **Hij is er klaar voor om grote sprongen te maken, en elke sprong wordt aangedreven door zijn vleugels.** Dat kun je merken aan het zacht fladderende geluid dat de vleugels maken tijdens het springen. Voor hem ligt een zomer vol zonneschijn, smakelijk gras en tsjirpend gezang.

De muzikanten van dit jaar klinken precies zoals hun ouders, ook al hebben ze geen les gehad.

EEN REUZENSPRONG

Grote spieren in de achterpoten duwen de sprinkhaan naar voren en hij schiet de lucht in. Tijdens de sprong opent de sprinkhaan zijn vleugels en vliegt een korte afstand, totdat hij weer landt. Door zowel zijn poten als zijn vleugels te gebruiken, kan de sprinkhaan nog verder springen.

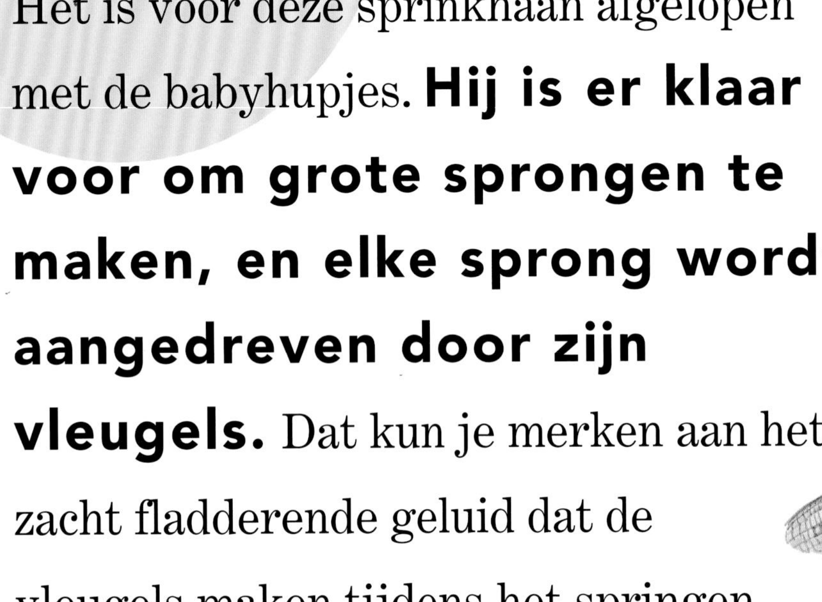

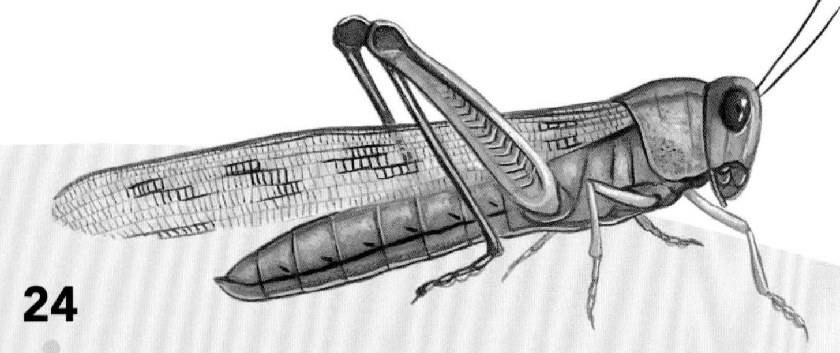

BESCHERMENDE VLEUGELS

De stevige voorvleugels van de sprinkhaan beschermen de grote achtervleugels. Als ze niet in gebruik zijn liggen de achtervleugels als een waaier opgevouwen onder de voorvleugels.

VLIEGVLEUGELS

De dunne achtervleugels worden vooral gebruikt bij het vliegen. Als de sprinkhaan vliegt klappert hij heel snel met zijn vleugels.

Een mannetje en vrouwtje paren.

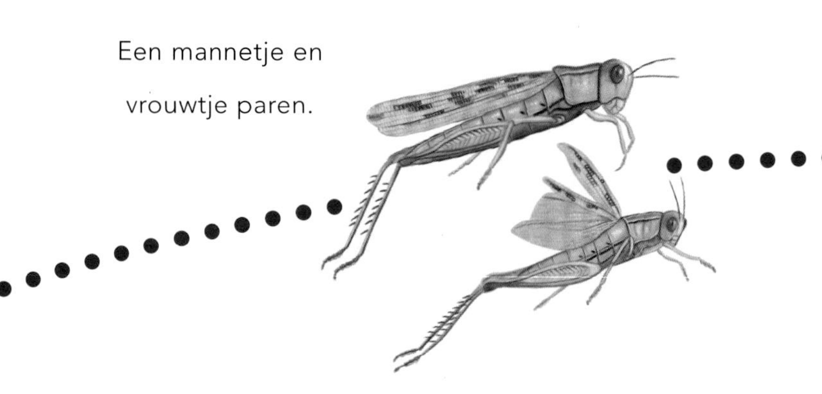

Een mannetje zingt om een vrouwtje te lokken waarmee hij kan paren.

LEVENSCYCLUS VAN DE

Na de laatste keer vervellen heeft de sprinkhaan vleugels en is volwassen.

Het vrouwtje legt eieren.

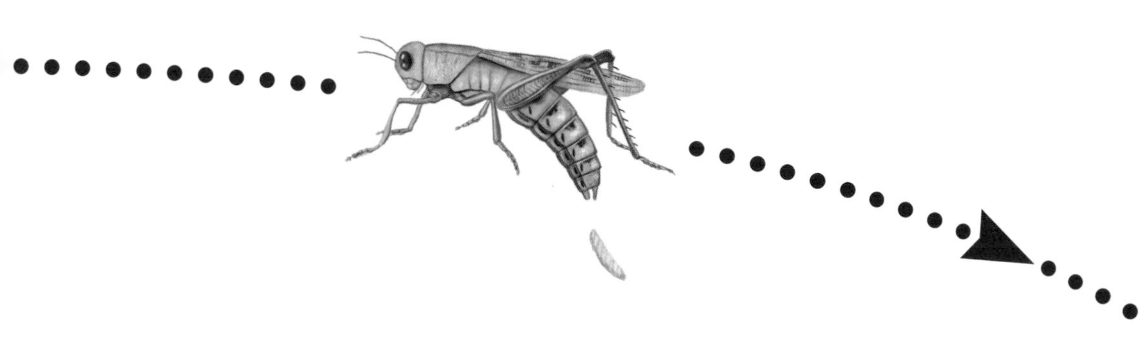

De eieren komen uit, dit zijn de nimfen.

Sprinkhaan

De nimfen vervellen verschillende keren tijdens de groei.

bevruchten Het samenkomen van het sperma met de eitjes, waardoor er jongen kunnen groeien.

boskrekel Een krekel die leeft in gebieden met een dikke strooisellaag waarin hij zijn voedsel zoekt. De antennen van de boskrekel zijn iets langer dan zijn lichaam.

klimaat Het gemiddelde weer in een bepaald gebied gemeten over een langere tijd.

lenzen Transparante plaatjes in het oog waarin het licht samenkomt.

nimfen De jonge vorm van sprinkhanen nadat ze uit het ei gekomen zijn.

sabelsprinkhaan Een grote sprinkhaan die zijn naam dankt aan de sabelvormige legbuis op het achterlijf van het vrouwtje.

samengesteld oog Ook wel facetoog genoemd. Het is een oog dat bestaat uit een heleboel zeshoekige oogjes.

segmenten De verschillende delen waaruit iets bestaat.
smaakpapillen Cellen op het oppervlak van de onderlip waarmee een sprinkhaan dingen proeft.
sperma Een vloeistof die geproduceerd wordt door mannelijke dieren waarmee ze de eitjes van vrouwtjes kunnen bevruchten zodat daar jonge dieren uit kunnen groeien.
territorium Een gebied dat beheerst wordt door een mannelijk insect en dat hij verdedigt tegen andere mannetjes.
veldkrekel Een Europese krekel die in een holletje op voornamelijk heidevelden leeft.
verlamd Niet kunnen bewegen, treedt vaak op na een steek of beet.
zwerm Een grote groep insecten die dicht bij elkaar blijven.

REGISTER

Oorspronkelijke titel Grasshopper

Productie De Laude Scriptorum bv, Etten-Leur, NL

Vertaling T. Dijkhof

Zetwerk ROOS dtp-service

Ontwerp Deb Miner
Illustraties Desiderio Sanzi

ISBN 978-90-5566-217-3

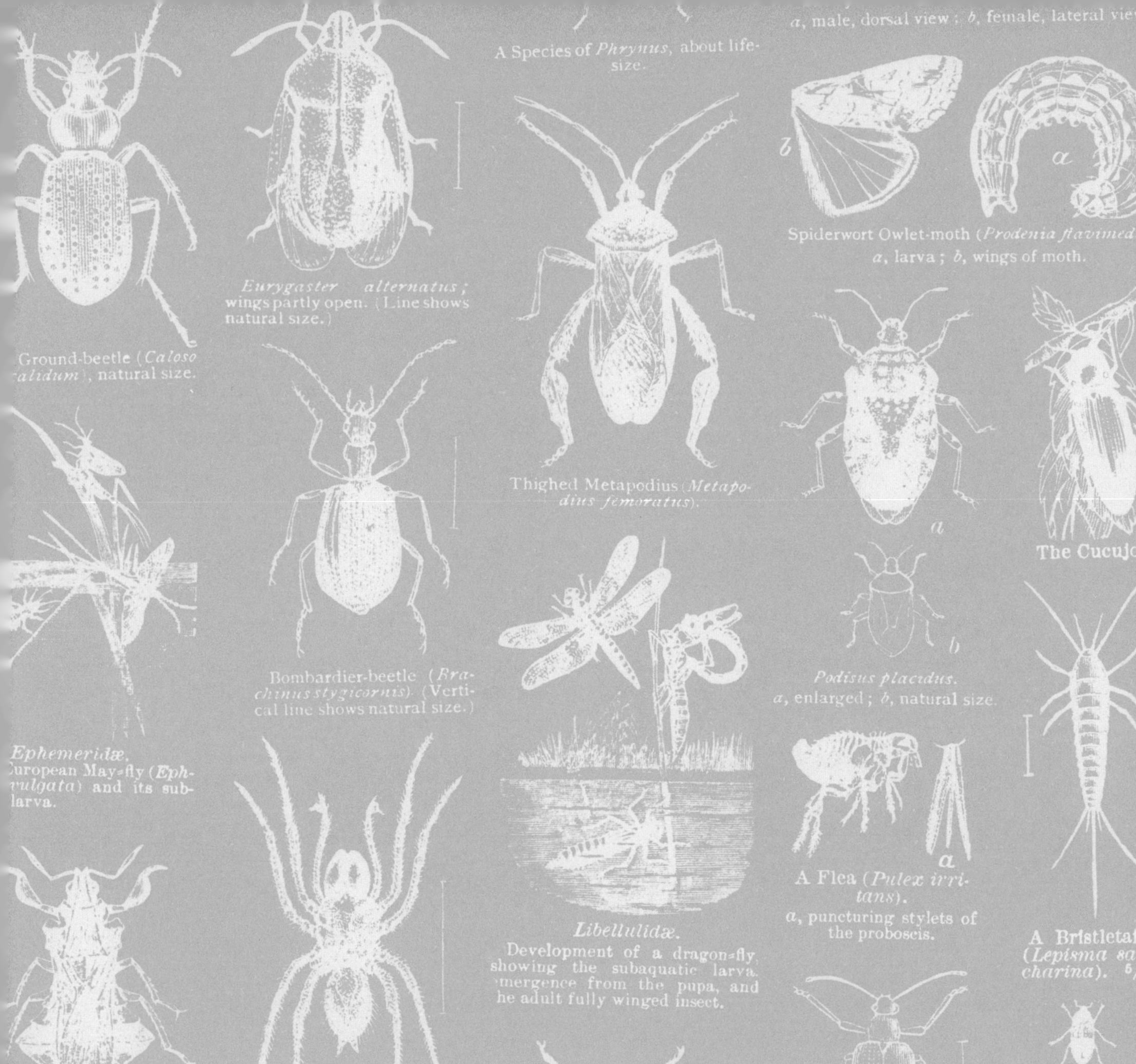

A Species of *Phrynus*, about life-size.

a, male, dorsal view; *b*, female, lateral view.

Ground-beetle (*Caloso ... calidum*), natural size.

Eurygaster alternatus; wings partly open. (Line shows natural size.)

Thighed Metapodius (*Metapodius femoratus*).

Spiderwort Owlet-moth (*Prodenia flavimedia*). *a*, larva; *b*, wings of moth.

Ephemeridæ. European May-fly (*Eph... vulgata*) and its sub-larva.

Bombardier-beetle (*Brachinus stygicornis*). (Vertical line shows natural size.)

Libellulidæ. Development of a dragon-fly, showing the subaquatic larva, emergence from the pupa, and the adult fully winged insect.

Podisus placidus. *a*, enlarged; *b*, natural size.

The Cucujo.

A Flea (*Pulex irritans*). *a*, puncturing stylets of the proboscis.

A Bristletail (*Lepisma saccharina*). $^5/_1$

Phymata erosa.

Atypus sulzeri. (Vertical line shows natural size.)

Grape-vine Fidia (*F. viticida*). (Line shows natural size.)

Bacon-beetle.

The Earwig

Apple-sna... *pullar...*
s, siphon; ... colum...

The Cl... stem B... *a*, larva... ting in ... ver-ste... the beet...

Homo...

Tail of a ... ing homoce... dal vertebr... dal rays; ... bones; *p*, h... esses of ca... united to fo... for the aort... ral spines.

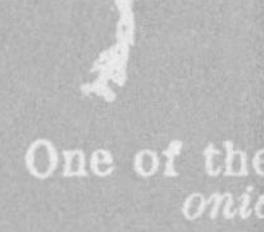

One of the ... *onic...*

iery Ground-beetle (*Caloso*
ma calidum), natural size.

Ephemeridæ.
ne European May-fly (*Eph-*
ra vulgata) and its sub-
tic larva.

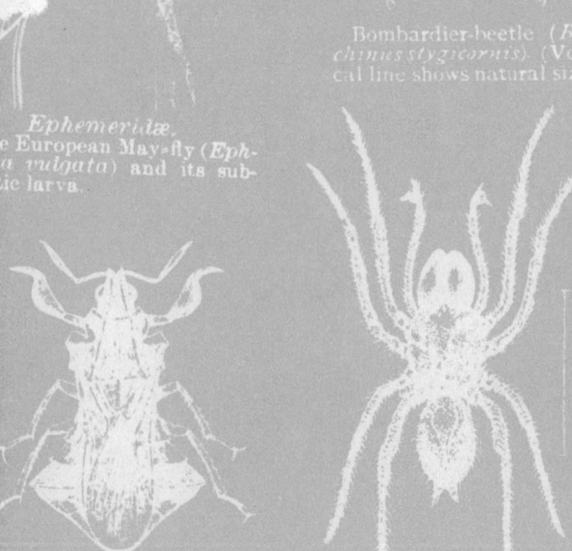

Phymata erosa.

Derm
larva (*a*)
etle (*b*) of
s vulpinus

Eurygaster alternatus; wings partly open. (Line shows natural size.)

Bombardier-beetle (*Brachinus stygicornis*). (Vertical line shows natural size.)

Atypus sulzeri. (Vertical line shows natural size.)

A Species of *Phrynus*, about life-size.

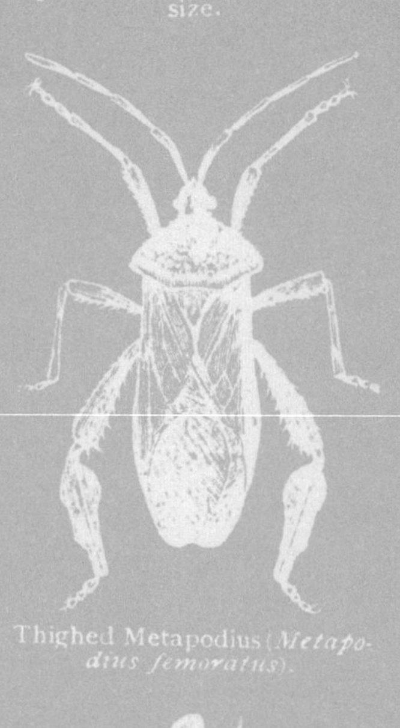

Thighed Metapodius (*Metapodius femoratus*).

Libellulidæ.
Development of a dragon-fly showing the subaquatic larva, emergence from the pupa, and the adult fully winged insect.

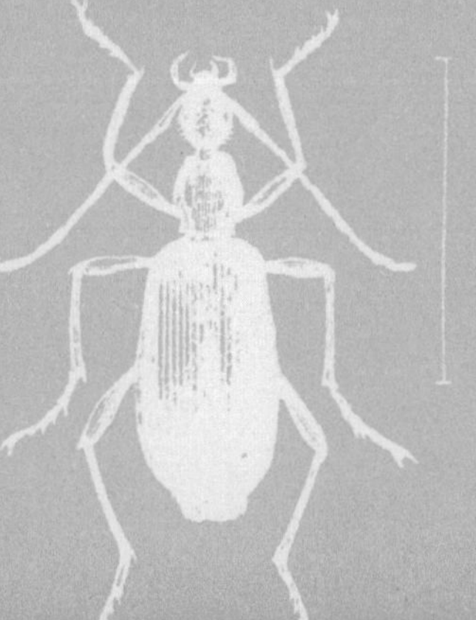

a, male, dorsal view; *b*, female, lateral view.

Spiderwort Owlet-moth (*Prodenia flavimedia*).
a, larva; *b*, wings of moth.

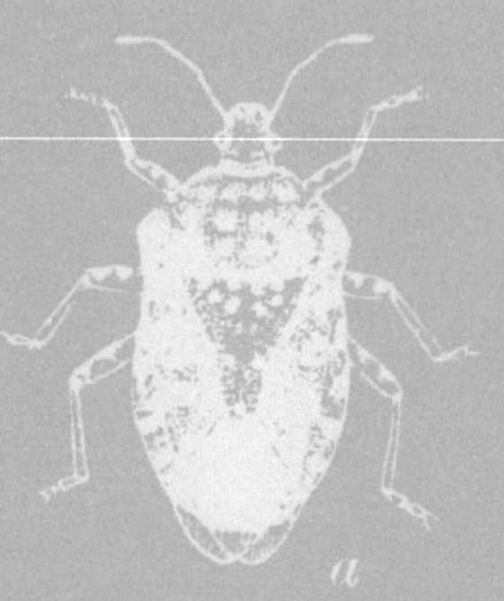

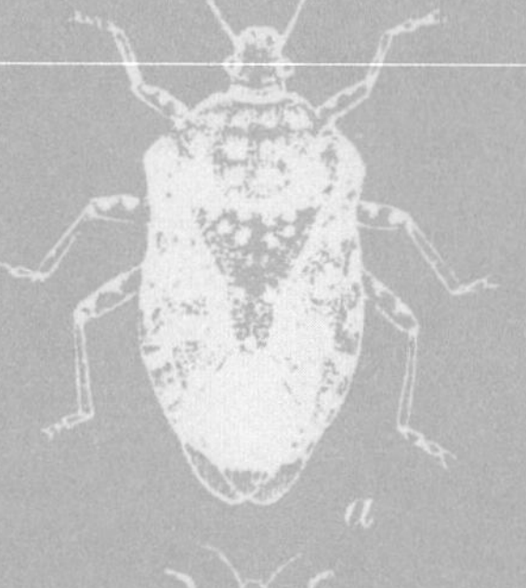

Podisus placidus.
a, enlarged; *b*, natural size.

A Flea (*Pulex irritans*).
a, puncturing stylets of the proboscis.

Grape-vine Fidia (*F. viticida*). (Line shows natural size.)

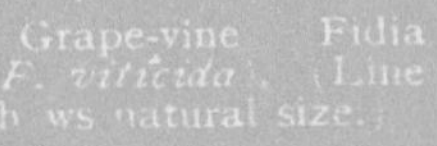

The Cucujo.

A Bristletail (*Lepisma saccharina*). 5/1

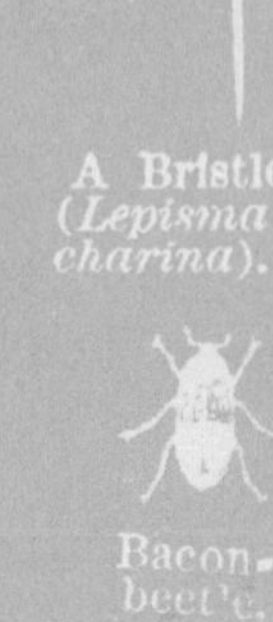

Bacon-beetle.

The Earwig

Apple
pu
s, sipho

The
ster
a, l
ting
ver
the

Ho
Tailo
ing hom
dal vert
dal ray
bones;
esses of
united t
for the a
ral spine

One of t
or

A Der
Larva (*a*)
beetle (*b*)
tes vulpin